D0294596

Ander werk van Marit Törnqvist
bij Querido

Klein verhaal over liefde
(1995)
Jij bent de liefste
(2000, versjes van Hans en Monique Hagen)
Pikkuhenki
(2005, een verhaal van Toon Tellegen)
Wat niemand had verwacht
(2009)
Jij en ik en mijn rode fiets
(2010, versjes van Juija Wieslander, vertaald
door Hans en Monique Hagen)
Groter dan een droom
(2013, een verhaal van Jef Aerts)
Fabians feest
(2015, Prentenboek van de Kinderboekenweek)

Marit Törnqvist

presenteert

OPMERKELIJKE UITVINDINGEN

Amsterdam · Antwerpen
Em. Querido's Kinderboeken Uitgeverij
2015

Inhoud

1
spaghettislurper

2
kijkjeindeklas-
spiegel

3
samen-
indeschaduw-
sombrero

4
zevenvliegen-
ineén-
klapper

5
trioviool

6
handenthuistrui

7
drielingwagen

8
boodschappen-
krukken

9
samenwerk-
pen

10
boven-
enbenedenburen-
belager

11
dikkebuikdrager

12
wandelwip

13
stortregen-
stortbad

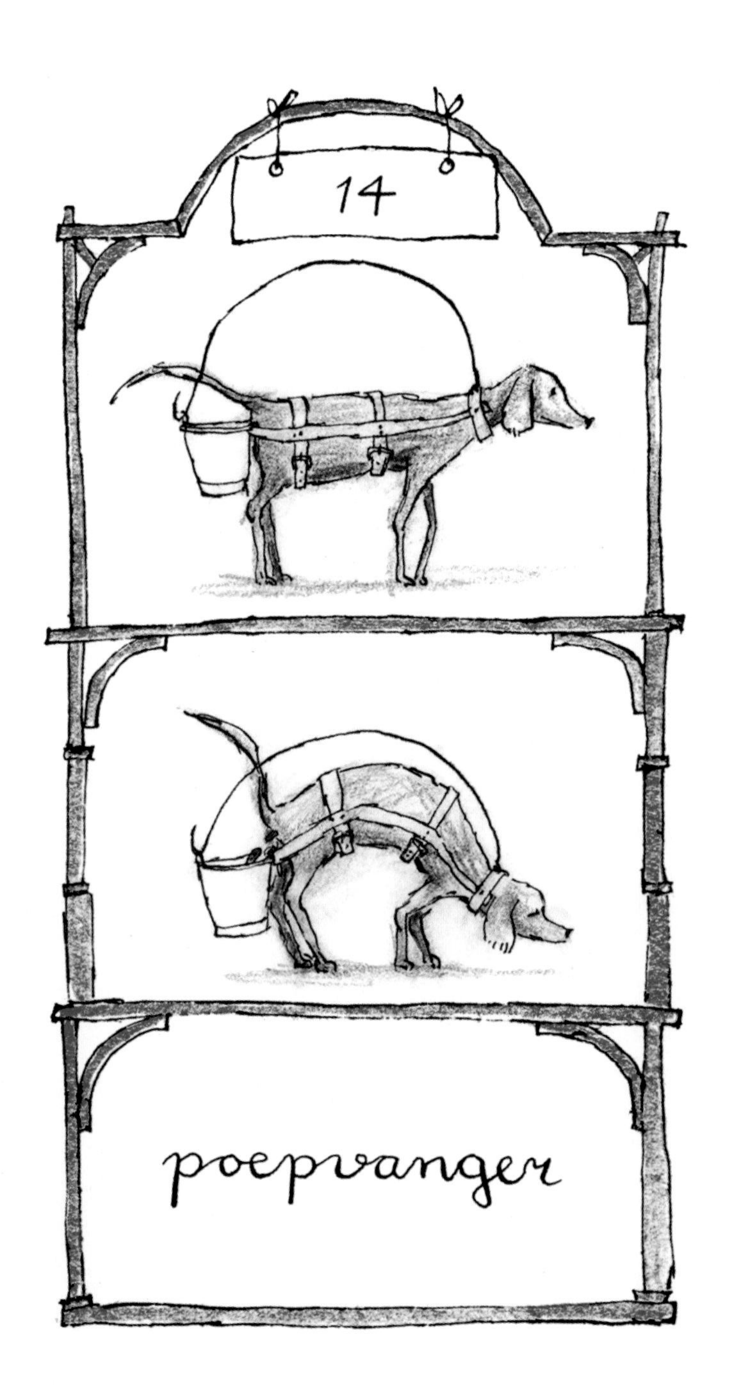
14
poepvanger

handinhandwant

16
ruimteindebus-
enindetramrek

17
betere-
bedieningsblad

18
opblaas-
spijbelpop

19
huisdierhoed

20
voedertafel

21
gigantengieter

22
kusklimop

23
drie-inde-
driepannetjes-
pan

24
fliereefluit

25
schaatsstok

26
gelukkig-
inhetspel-
spiegel

27
met de-
windenmeewaai-
wieler

28
wijhebbeneen-
bandband

29
visvangvliezen

30

proppenkanon

31
fietstaxi

32
theevoortweepot

33
grotebeurtborstel

34
plezier-
voortweeërs

35
papaparaplu

36
weesgegroet-
hoed

Ook uitvinder worden?
Uitvinders-tips en kaders om zelf uitvindingen in te tekenen vind je op
www.queridokinderboeken.nl
bij het boek *Opmerkelijke uitvindingen*

www.marittornqvist.nl

Vormgeving Barbara van Dongen Torman

ISBN 978 90 451 1841 3 / NUR 274